Le pi têt claques

BENOÎT
BROYART

ILLUSTRATIONS
DE LAURENT
RICHARD

Chapitre 1

Châtaigne est un jeune pirate doué.
Il assomme ses ennemis
d'un coup de poing
et les jette en entier
aux requins. Il découpe
en rondelles les plus gros
avant de les envoyer à l'eau.

Le problème, c'est que Châtaigne tape aussi sur ses amis.

Susceptible, irascible, coléreux, hargneux, il ne supporte pas qu'on se moque de sa petite taille.

Une blague, et il devient incontrôlable. Et dans la piraterie, on fait souvent des plaisanteries.

L'équipage le taquine
tout le temps :
– Châtaigne, monte sur
un tabouret. Tu seras
à la bonne hauteur
pour taper.

Châtaigne entre dans une colère
noire. Ses bras font de grands
moulinets.

– Je vais te réduire
en compote,
hurle-t-il.

Et **vlan !** voilà un membre de l'équipage cabossé ou, pire, changé par les requins en viande hachée.

Le capitaine Crone finit par en avoir assez. Heureusement, il lit dans son manuel de piraterie :

Tout membre de l'équipage tapant sur ses amis sera abandonné sur une île déserte.

Aussitôt lu, aussitôt fait. Châtaigne
est jeté sur la plage d'une île comme
un paquet, ficelé de la tête aux pieds.

Et le navire
de Crone reprend
tranquillement la mer.

Chapitre 2

Robinson vit sur cette île
déserte depuis des années.
C'est l'endroit rêvé :
on y trouve à boire
et à manger. Il lui arrive
de se sentir seul
mais il est habitué.

Robinson entend bientôt des cris
de cochon. Il s'approche de la plage
et voit une forme qui gigote sur
le sable. Un cochon sur la plage ?
Il avance encore et écoute.

C'est Châtaigne, qui hurle
de plus en plus fort :

– Je vous réduirai tous
en compote ! **Allez aux
pelotes** !

Robinson comprend.
Miracle ! Un autre homme
sur l'île ! Depuis le temps
qu'il rêvait d'un ami.

Il court vers Châtaigne,
le sourire aux lèvres,
et lui dit :
– Bonjour. Je peux
vous aider ?

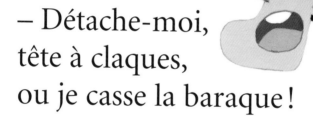

– Détache-moi,
tête à claques,
ou je casse la baraque !

« Le pauvre, pense Robinson. Le soleil lui a tapé sur la tête. Il dit n'importe quoi. »

Robinson délivre le pirate.

Châtaigne se relève et Robinson le montre du doigt en riant.

– Qu'est-ce qu'il y a, macaque ? Tu n'as jamais vu un pirate ? lance Châtaigne.

– Je ne suis pas le seul à vous
souhaiter la bienvenue.
Robinson continue de rigoler :
un petit crabe est accroché à l'oreille
de Châtaigne.

Le pirate entre dans
une colère noire.

Ses bras font de
grands moulinets.

Et vlan !

Robinson tombe
assommé, cabossé.

Chapitre 3

Des hommes, Châtaigne en a cogné des tonnes. Les pirates sont sans pitié. Châtaigne laisse Robinson assommé sur la plage et se met à marcher.

Très vite, le petit pirate a faim.
Un festin lui ferait du bien.
Mais il n'y a rien à manger ici.

Châtaigne est en colère.
Vlan ! il met de grands
coups de pied dans
un palmier.

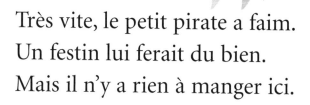

Une noix
de coco tombe.

Le pirate voudrait la dévorer mais
il ne sait pas la casser. Il tape de toutes
ses forces… la noix ne cède pas.

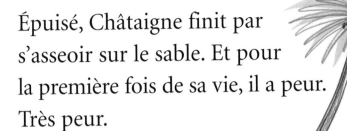

Épuisé, Châtaigne finit par
s'asseoir sur le sable. Et pour
la première fois de sa vie, il a peur.
Très peur.

Il est seul. Très seul.
Il va mourir de faim.

Robinson pourrait
l'aider mais Châtaigne
l'a assommé.

19

Maintenant, Châtaigne regrette.
Et pour la première fois de sa vie
de pirate, une petite larme
coule sur sa joue.

Derrière lui,
il ne voit pas
Robinson s'approcher.

– Je peux vous aider?

Châtaigne sursaute et
se retourne. Un fantôme?
Non, Robinson a juste
une grosse bosse sur
la tête, heureusement.

– J'ai l'habitude de manger
ce qui se trouve sur l'île.
Donnez-moi ça.

Robinson lui prend la noix
des mains et Châtaigne ne
dit rien. La colère est
partie loin et le pirate
se sent bien. Il sourit.

21

Robinson tape le fruit contre
le tronc de l'arbre. Comme
par magie, la noix de coco
se transforme en gobelet.

Il tend la coupe à son ami.
– Buvez. C'est délicieux.
Châtaigne avale le lait de coco.
Et pour la première fois de sa vie,
le pirate dit merci.

Fin

© 2008 Éditions Milan
300, rue Léon-Joulin, 31101 Toulouse Cedex 9 – France
www.editionsmilan.com
Loi 49.956 du 16.07.1949 sur les publications destinées à la jeunesse.
Dépôt légal : 4ᵉ trimestre 2013
ISBN : 978-2-7459-3423-9
Imprimé en France par Pollina - L66831D
Création graphique : Bruno Douin